Une petite bouteille jaune

Angèle Delaunois
Christine Delezenne

TOUrne-pierre

HANDICAP INTERNATIONAL

Partout il existe des enfants en pleine forme qui veulent rire, chanter, jouer et courir tous ensemble. Des enfants qui n'aiment pas se poser trop de questions et qui, chaque jour qui passe, profitent de leur énergie et de leur jeunesse sans se soucier du lendemain. Certains endroits sont paisibles et favorisent l'insouciance et la liberté. D'autres, au contraire, cachent et dissimulent des objets de mort. Des objets minuscules qui provoquent la peur, l'insécurité et causent chaque jour de nouveaux drames bouleversants.

Et pour certains enfants insouciants, il arrive que tout bascule et que leur vie, qui n'était qu'un jeu, se transforme en cauchemar effrayant. Un accident grave peut survenir et transformer à tout jamais le cours d'une existence. Un enfant qui devient lourdement handicapé à la suite d'un accident devra lutter pour retrouver la place qu'il avait au sein de sa famille, parmi ses amis, dans la société. C'est un parcours long et difficile, comme Handicap International le constate chaque jour depuis presque 30 ans. Cette association de solidarité a choisi de se battre pour un monde plus juste et plus avenant, un monde sans mines antipersonnel, sans bombes à sous-munitions, qui accueillerait tous les enfants, quels que soient leur histoire, leur origine et leur handicap.

Handicap International travaille dans plus de 60 pays aux côtés des personnes handicapées et des populations vulnérables pour limiter les causes qui mènent aux handicaps, pour permettre aux personnes handicapées de recevoir les soins dont elles ont besoin et pour les aider à se remettre debout dans leur communauté. L'association agit également lors de catastrophes naturelles telles que les séismes et les tsunamis.

L'association est également co-Prix Nobel de la paix pour son action contre les mines antipersonnel.

Claire Fehrenbach
Directrice générale
Handicap International • Canada

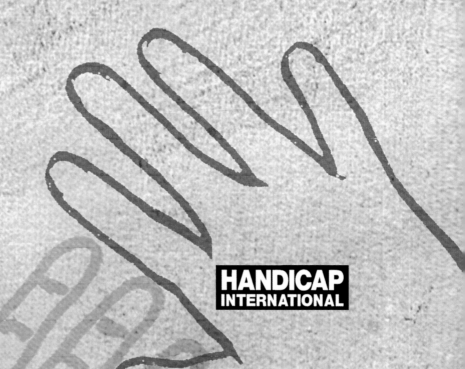

HANDICAP
INTERNATIONAL

Je m'appelle Marwa. J'ai onze ans.

Ahmad est mon meilleur ami.

On se connaît depuis toujours.

Dans l'équipe de foot de notre village,

il était gardien de but.

Le meilleur qu'on ait jamais eu.

Ahmad

Maintenant Ahmad ne joue plus au ballon

parce qu'il lui est arrivé quelque chose de terrible.

C'est pour lui que je veux raconter notre histoire.

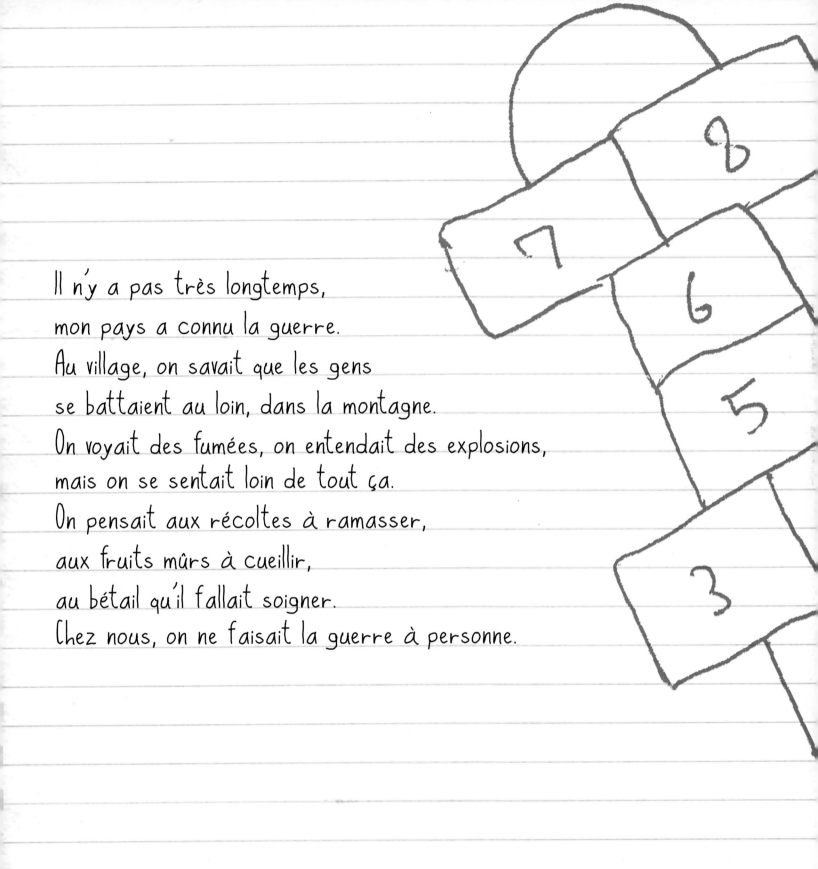

Il n'y a pas très longtemps,
mon pays a connu la guerre.
Au village, on savait que les gens
se battaient au loin, dans la montagne.
On voyait des fumées, on entendait des explosions,
mais on se sentait loin de tout ça.
On pensait aux récoltes à ramasser,
aux fruits mûrs à cueillir,
au bétail qu'il fallait soigner.
Chez nous, on ne faisait la guerre à personne.

Mais un jour, comme des guêpes menaçantes,
des avions ont survolé nos maisons.
Ils ont vomi un chapelet de gros objets gris
qui sont tombés dans la campagne.
Un silence bizarre, sans chants d'oiseaux, s'est abattu sur mon village.
Au début, on a tous eu très peur.
On retenait notre souffle.
Et puis après quelques jours, comme tous les enfants, on a un peu oublié.

Peu de temps après,
un policier est venu visiter notre école.
Il nous a raconté des choses terribles.

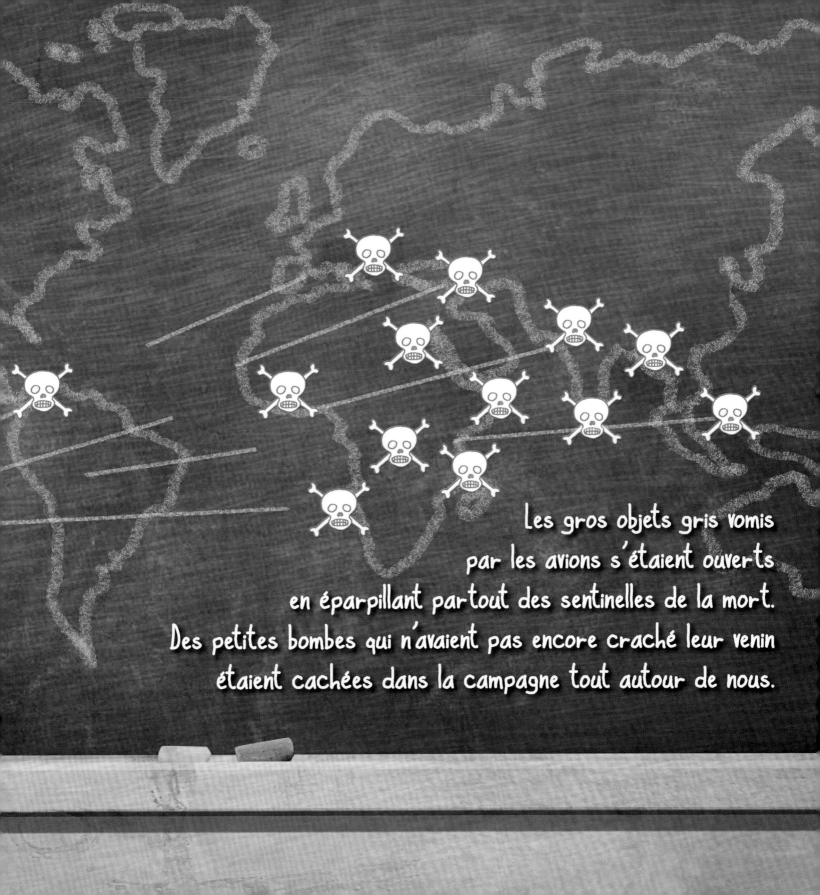

Les gros objets gris vomis
par les avions s'étaient ouverts
en éparpillant partout des sentinelles de la mort.
Des petites bombes qui n'avaient pas encore craché leur venin
étaient cachées dans la campagne tout autour de nous.

Je me souviendrai toute ma vie de cette journée affreuse.
Je jouais au ballon avec Ahmad dans le petit bois
qui donnait de l'ombre à notre village.

Je l'ai reconnue
une seconde trop tard
Mon ami avait ramassé
une petite bouteille jaune
à moitié cachée dans l'herbe
Un joli objet allongé qui brillait
comme de l'or dans la lumière du soleil
Tout souriant, il s'est tourné vers moi
— Tu as vu?

Je n'ai pas eu le temps de dire un mot.
Un éclair intense nous a aveuglés.
La douleur a envahi tout mon corps, comme si mille flammes
me brûlaient en même temps.

J'ai vu Ahmad s'écrouler dans l'herbe en criant.
Puis, tout est devenu noir autour de moi.

Lorsque j'ai repris conscience, je ne voyais plus rien.

J'avais mal partout et j'avais très peur.

Je ne sais pas combien de temps je suis restée dans le noir.

Petit à petit, la nuit qui m'enveloppait s'est levée.

Au début, je ne voyais qu'une petite brume claire

avec des couleurs floues.

Ensuite, j'ai reconnu les gens
et les objets qui m'entouraient.
Et j'ai retrouvé mes yeux.

Mon corps était couvert de pansements.
En explosant, la petite bouteille jaune s'était cassée en mille morceaux
aussi coupants que des rasoirs.
Certains éclats avaient criblé
mon visage, ma poitrine et mes bras.
Le docteur qui venait me soigner
me jurait que j'allais guérir.

Mais pour Ahmad, c'était bien plus grave.
En explosant, la petite bouteille jaune avait transformé
sa main en bouillie et elle avait presque arraché
une de ses jambes.

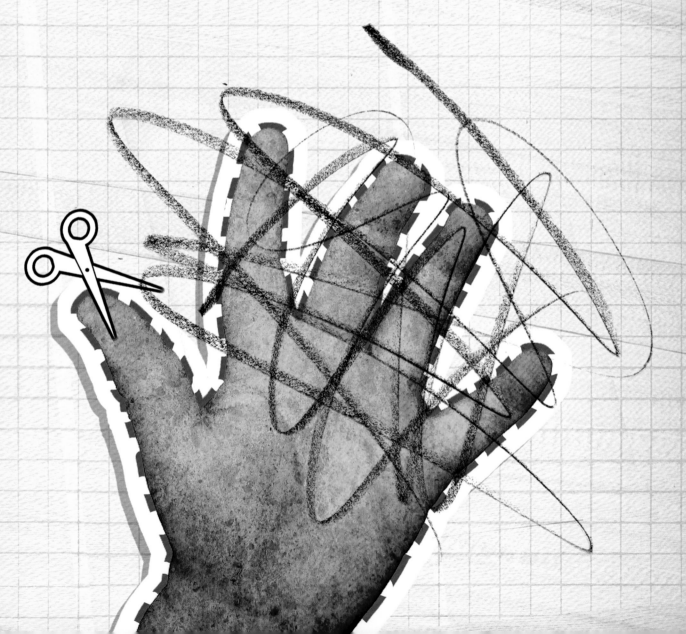

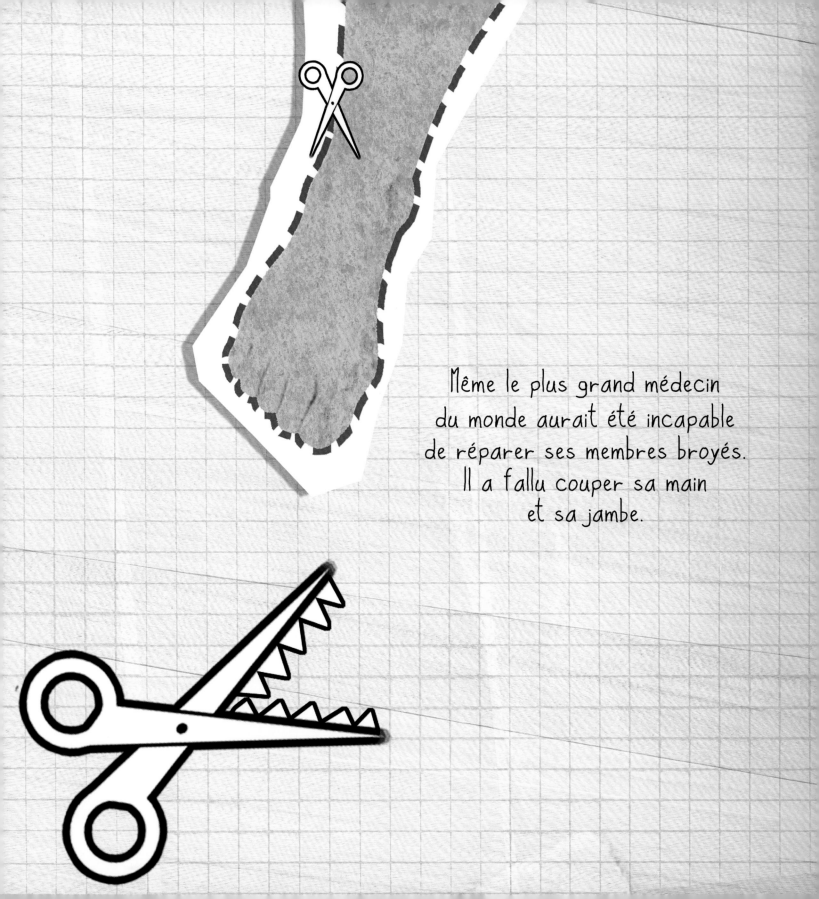

Même le plus grand médecin
du monde aurait été incapable
de réparer ses membres broyés.
Il a fallu couper sa main
et sa jambe.

Pendant des jours, mon ami a hésité
entre la vie et la mort.
Je crois qu'il avait peur de revenir parmi nous.
Puis, il s'est réveillé.

Lorsqu'il a compris qu'il ne pourrait plus jamais marcher
et courir comme avant, Ahmad s'est retourné contre le mur.
Il ne voulait plus parler. Il ne savait plus sourire.

Un grand frère est venu nous voir.
Lui aussi, il avait rencontré une petite bouteille jaune
sur sa route.
Sous son pantalon, on ne voyait pas du tout qu'il avait
une jambe artificielle.

Il ne pouvait pas jouer au foot,
mais il avait réappris à faire plein de choses:
marcher, conduire une voiture, monter les escaliers,
et même courir à sa façon.

Ses yeux riaient, il racontait des blagues
et faisait même des clins d'œil aux filles.

Pendant longtemps, il est resté auprès d'Ahmad.
Il lui a raconté sa douleur, son chagrin, sa révolte.
Il lui aussi parlé d'espoir, de pardon et de la vie,
qui est bien plus forte que les petites bouteilles jaunes.

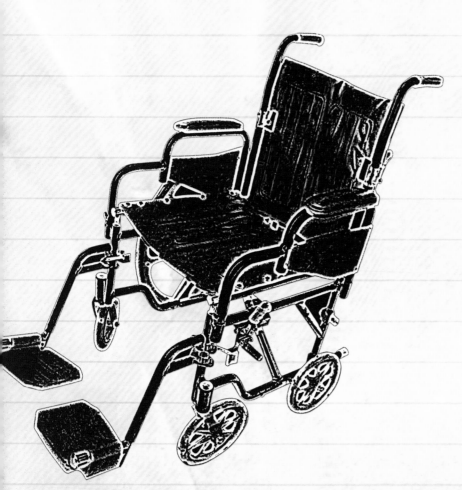

Grâce à lui, Ahmad
a compris qu'il pourrait
encore faire de petites
et même de grandes choses.
Qu'il pourrait encore aimer...
et être aimé.

Mon ami a recommencé à parler, à sourire et à vivre.
Il a appris à marcher avec des béquilles.
Plus tard, il a apprivoisé sa nouvelle jambe.

Au début, il avait tellement mal qu'il a eu peur
de ne jamais y arriver.
Mais il est super fort, Ahmad, il s'est accroché. Maintenant, il marche comme
tout le monde... ou presque!
Aujourd'hui, mon ami Ahmad n'est plus le gardien de but
de l'équipe de foot de notre village,
mais il est devenu le meilleur entraîneur qu'on ait jamais eu.
Je suis très fière de lui.

Shirine

Ali ↗

Hamid ·
↘

Je m'appelle Marwa. J'ai onze ans et plein de cicatrices

sur le visage et les bras.

J'ai raconté notre histoire pour honorer le courage d'Ahmad.

Pour tous les enfants du monde qui ont le droit de vivre

sans avoir peur.

Pour tous ceux qui ne connaîtront jamais la guerre,

et c'est bien comme ça!

Mais aussi pour ceux qui rencontreront sous leurs pas

une petite bouteille jaune.

Ahmad ↑

Hassan
↘

La petite bouteille *jaune*

Direction éditoriale : Angèle Delaunois
Direction artistique : Pierre Houde
Édition électronique : Hélène Meunier
Révision linguistique : Jocelyne Vézina
Production : Rhéa Dufresne

© 2010 : Angèle Delaunois, Christine Delezenne et les Éditions de l'Isatis
Dépôt légal : 3e trimestre 2010
Édition imprimée : ISBN : 978-2-923234-67-0
Édition numérique : ISBN : 978-2-92318-25-2 (PDF)

Bibliothèque nationale du Québec
Bibliothèque nationale du Canada

Catalogage avant publication de Bibliothèque et Archives nationales du Québec
et Bibliothèque et Archives Canada

Une petite bouteille jaune

    (Tourne-pierre ; 24)
    Pour enfants de 8 ans et plus.
    Publ. en collab. avec: Handicap International.

    1. Enfants handicapés - Réadaptation - Romans, nouvelles, etc. pour la jeunesse.
I. Delezenne, Christine. II. Handicap International. III. Titre. IV. Collection: Tourne-pierre ; 24.

PS8557.E433P47 2010   jC843'.54   C2010-941635-X
PS9557.E433P47 2010

Nous remercions le Gouvernement du Québec
Programme de crédit d'impôt pour l'édition de livres – Gestion SODEC

Nous remercions le Conseil des Arts du Canada de l'aide
accordée à notre programme de publication.

Nous remercions l'imprimerie Chicoine de sa généreuse implication dans ce projet.

Éditions de l'Isatis
4829, avenue Victoria
Montréal QC H3W 2M9
www.editionsdelisatis.com
imprimé au Canada
Distributeur au Canada: Diffusion du livre Mirabel

Fiche d'activités pédagogiques téléchargeable
gratuitement depuis le site www.editionsdelisatis.com

ASSOCIATION NATIONALE DES ÉDITEURS DE LIVRES

ENCRES SANS C.O.V.

Sources Mixtes
Groupe de produits issu de forêts bien
gérées et d'autres sources contrôlées.
www.fsc.org Cert no. SGS-COC-003342
© 1996 Forest Stewardship Council